KB103730

장선숙 시집

이렇게 좋은 날 1

자연, 교감의 순간

이렇게 좋은 날 1
자연, 교감의 순간

발 행 | 2023 년 12 월 14 일
저 자 | 장선숙
펴낸이 | 유철기
펴낸곳 | 트랜스포마인드코리아
출판사등록 | 제 2022-000048 호
주 소 | 서울특별시 금천구 가산디지털 1 로 168, B 동 201-18 호 (가산동)
전 화 | 010-2258-8346
이메일 | support @trans4mind.co.kr

ISBN | 979-11-966227-6-3

이렇게 좋은 날 1

장선숙

목차

제 1 부 자연

제 1 부

자연(自然)

눈 나비

하늘에서 바람 타고 춤을 추며
눈꽃 송이가 내려오네

내 앞을 지나서
살포시 나뭇잎에 앉았네

자세히 가서 보니
하얀 눈 나비였다
온 세상을 눈 나비가 덮어
눈 옷을 입혀줬다

오늘 하루만이라도
눈 나비와 같이 자유롭게 날면서
필요한 누군가에게 온기가 되어
겨울 꽃을 피우면 참 눈부시겠다

(문학고을 문예지 등단 신인 문학상 공모 당선작)

창 너머 바다

그냥 바라만 봐도
바다가 참 넓다

보면 볼수록
바다가 참 넓다

더 보면 볼수록
더 넓다

이게 바로
내 마음이다

하얀 눈

창으로 밖을 보니 한 폭의 그림 같다
산에 있는 나무와 집들 모두가 하얗다

하나님이 모든 것 위에 하얗게
색칠해 놓은 것 같다

나무들이 하얀 옷을 입으니 서로의 자태를 뽐내고
더러움 상처 쌓인 찌꺼기
모든 악취가 치유되고
다시 새 생명의 탄생을 축복하는 것 같다

바라보는 나에게도
마음의 평온함과 순수함을 보게 한다

정말 하얀 세상의 맛은 천국 같다

만개 벚꽃

잠깐 멈춰주세요
나를 좀 봐 주세요
내가 당신을 위해 향기와
예쁜 분홍 꽃을 날립니다
지치고 힘든 당신의 마음을
안아 주고 싶어서요

나도 예쁜 꽃을 피우기 위해
추운 겨울도 지내고
비바람도 맞았더니
멋진 옷을 입네요

잠깐 나 좀 바라봐요
당신도 아름다운 것이 많군요
나를 쳐다 봐주고
웃어주고 좋아해주네요

잠깐 멈추고

나를 바라봐 주세요

당신에게 다가가고 싶어

멀리멀리 바람 타고 날아왔다가

이제 나를 기억해달라고

마지막 선물을 주고 떠나갑니다

새들의 잔치

바람이 잠잠하니 나무도 흔들림 없네

햇볕은 겨울을 보낼 준비를 하고
새들은 날씨가 좋으니 가만히 있을 수가 없네

노래를 더 우렁차게 부르며
그동안 잠겼던 목을 풀고 있네

모두가 나와서 즐거워하는 지지배배는
나그네도 멈칫 귀를 기울이게 하네

나무들도 자리를 흔쾌히 빌려주네
더 있다 가라고 나도 기다렸다고

어떤 악기보다도 더 예쁘고 아름다운 소리
선물로 받았으니 마음껏 뽐내 보세

이집 저집 깃을 세우면서
인사도 하고 수다도 떠네

곧 있으면 소풍도 가자고
참 좋은 날을 기대하면서!

아침

첫 시작의 첫 문을 열어주는 알람 소리
번쩍 일어나 분주해지는 걸음걸이
살아가는 원동력을 자극하네

고요한 정적 소리 사르르 사르르 물러나고
물소리가 첫 출발을 응원하는 멜로디 되네

희망의 하루를 시작할 수 있도록
나의 마음과 몸을 정결하게 씻어주네

생각의 문도 감사로 첫 종을 울리네

무딘 마음 귀하고 소중한 날로 전환되니
아침 시작이 경쾌하고 새롭네

상쾌한 공기는 내 폐 속으로 들어가
묵은 공기를 청소하고 새것으로 채우니
최고의 명약이네

태양은 힘차게 서서히 떠오르며 어둠을 지배하니
모든 만물도 더 이상 견딜 수 없어 깨어나고
새들도 자동차도 분주하네

어제보다 더 나은 하루가 되기 위해
명품의 아침을 맞이하네

날씨

하늘에 먹구름이 먹물 뿌려 놓은 것 같이
검붉게 그림을 그렸네

해님은 그 틈 사이로 나오고 싶으나
구름님이 허락하질 않아 이곳저곳 기웃거리네

그 마음도 모르고 완전히 덮어버리네
해님이 없는 것처럼

온 세상은 어둠 빛으로 마치 비가 내릴 것 같네
모든 것이 정체되어 비님을 기다리고 순응하네

고요히 잠잠히 바람도 정지
정적 속에 생명은 소곤소곤 속삭이네
이것도 내 생애 일부에 중요하다고

구름님이 있어 쉴만한 쉼터가 있고
해님이 있어 에너지를 받을 수 있는 특효약이 있다는 것

구름님이 잠깐 허락하여
살짝 해님이 방긋 웃으면서
강력한 햇살을 쏟아내다가
구름님이 얼른 데리고 가네

오늘은 내가 주인공이라고
너는 내일 주인공 될 거라고
내 마음은 해님일까?
구름님일까?

좋은 친구가 되어 인생에 향기와 열매를 맺어
따뜻한 햇살을 비추는 삶이되길 바라네

개나리

담장이 노오란 옷 입으니
눈이 번쩍 뜨이네

멀리서 손짓하며
환하게 웃고 있으니
또 쳐다보며 미소 짓게 되네

항상 그 자리에 있었는데
보이지 않았고 관심도 없었네

너라는 존재를 잊고 있었는데
나 좀 봐달라고 한쪽에서
조용히 소리 없이 웃고 있네

따뜻한 너의 마음을 전하기 위해
추운 겨울을 잘 보내고

봄을 실어 오는 첫 문을 열어주니
정겨움이 함께 몰려오네

덩달아 봄을 알리는 친구들도
이리저리 손짓하며 노래 부르네

우주가 아름다움으로 가득 차니
마음도 가볍고 달콤해 지네

자기만의 모양과 색깔을 내기 위해
보이지 않게 인내한 많은 수고에
고마움의 찬사를 산들바람에 실어 보내네

고요의 아침

해님은 잠자고 있는지 옷자락 여운도 보이질 않고
구름님은 눈물의 단비를 준비하고 있네

바람이 쉬고 있으니
나무가 춤추고 노래하고 싶으나 마음뿐
새들의 노랫소리만 들리네

곧 비 님이 방문하니 준비하라 하네
귀한 단비님 환영하세
우리 집에 놀러 오세요

목말랐던 대지가 흠뻑 마시니 온 땅이 요동치네
세상을 향해 힘차게 웃으며 나가보자고

많은 사람에게 웃음도 주고 안식처도 주고
작으나마 살아갈 수 있는 힘이 되자고

꽃들도 만찬 준비에 멈칫하면서 비 님을 그리워하네
목이 말랐었다고
더 예뻐지기 위해서 양분을 먹어야겠다고

새소리

고요한 아침에 칙찍칙찍 끽끽
들리는 소리가 얼마나 큰 지
귀를 울리네

장엄한 태양이 비치니
잔치가 열렸나 보다
무리를 지어 오페라를 부르니
최고의 알람이네

잠자던 거대한 산도 어쩔 수 없네
오케스트라에 참여하고 싶어
문을 열어주네

즐겁고 경쾌하게 어울리는 하모니는
영감을 자극하니
자연의 최고 음악은 평안의 통로

빽빽한 울창한 소나무와
노란 물을 들인 개나리가
한 식구가 되니 너무 아름다워
새들도 눈뜨자마자 감동을 춤추네

친구들이 모두 모여 합창하니
나무들도 웃으며 뽐낼 자리를 마음껏 내주네

멋진 아침을 선사해 주니
감동이 바람을 타고 날아가
(희망의) 빛이 되길 바라네

비 온 뒤 아침

햇살은 바람친구와 함께 방문하네
드라이해주듯 이곳저곳 불어 가면서
나무와 꽃잎 만져주니
햇살에 반짝이는 빤작이

푸르름을 뽐내며
하늘로 솟아오르는 가지 둥이

향긋함에 촉각이 레몬 같고
시야는 눈부심에 반했네

새들도 찍찍 짹짹
해맑은 아이 소리에 소풍준비

좋은 아침 벗 삼아 즐거운 여행
덩더쿵 덩더쿵 좋은 아침

인천대공원에서

산들산들 바람이 부니
분수대의 물은 춤을 추네!

저 높은 곳을 향하여
물오름을 따라
참새들도 날아다니고

많은 사람들이
인파 속에 사이사이 보이는
저 연둣빛 물결이 이어지고 있는
저 산꼭대기에
정말 만물들이 춤을 추고 있네

아! 이 아름다움 멋지다
혼자만 볼 수 있을까?

그래서 두 딸 남편

이렇게 와서 보니

마음이 더 풍성해지고

우리 마음속에

흐트러진 연둣빛이

마음속에 간직하니

정말 잘 왔다는 생각이 드네

이게 바로 천국이고

최고의 잔치를 보는 느낌이 들어서

정말 오늘은 힐링 되는 하루이고

나의 시인 당선 축하하는

그 느낌이 더 배가 되어서

너무 너무 감사하고 고맙네

산들산들 춤을 추는 저 나뭇가지에
노래가 나오고 찬송이 나오니
정말 하나님의 위대함을 볼 수가 있었고

오늘도 이렇게 살아있는 그 생명 소리에
얼마나 가치 있고 감사한지

이 나무 숲 속에 사이사이 보이는
저 하늘빛은 푸르다 못해
녹색으로 다 가려져서
하늘도 진녹색으로 보이고

많은 사람들이 이렇게 와서 보니
정말 대단하다는 생각이 드네

인천 대공원의 봄

살랑살랑 햇살에 놀라 만개한 벚꽃들이
웃음꽃을 피우고 잔치가 열렸네

많은 사람들에게 화사한 마음을 선사하니
기뻐 축하하려 왔네

곤하고 힘든 마음을 만져주니
미소가 한 가득 마음은 달콤하고
발걸음은 춤을 추네

눈부신 너의 옷자락에 넋을 잃고
그리워하는 마음을 표현하니
사랑이 꿈틀거리는구나!

호수의 수양버들이 운치를 더하여
봄 잔치에 참여하고

연두 물감이 물위에 뿌려져

너의 자태가 두 배로 흩어져 보이니

잔잔한 물결에 평화의 손님을 맞이하네

나에게도 가슴 떨림을 줄 수 있는 힘이 있다고

여유로운 마음을 가져보라고

새 생명의 시작이 기쁨으로 찬송하고

자신의 끼를 발산하는 위대함에 떨림을 주는구나!

나뭇잎

나무가 바람에 온 몸으로 춤을 추니
꽃잎은 바람 입맞춤에 따라가고
향기도 바람 따라 날아가니
사랑도 같이 날아가네

마음이 허전하여 쓸쓸했는데
연두 빛 옷자락이 채워주니
다시 사랑이 물드는구나

연두 빛으로

비

소리 없이 비가 내리네

아무도 깨우고 싶지 않으나
자연은 비 간지러움에
푸시시 눈을 뜨네

빗물이 천연 비눗방울 되어
나무의 옷을 씻어주니
끼었던 먼지가 흘러내려
땅의 양분으로 변하네

촉촉한 잎사귀는 배고픔을 달래듯
하늘이 내린 생명수로 흠뻑 젖어 드네
많은 작은 생명들에게
더 멋진 쉼터와 그늘을 준비를 하면서

대지가 촉촉하니
푸르름이 풍성하게 물드는구나!

높은 산등성이도
무성한 잎에 보금자리를 내어주네

보슬비

살살 살 적시네
이쁜 새색시
꽃잎 다칠까 봐
입 맞추니
부끄러워 땅에 떨구고

나뭇잎 상처받을까 봐
숨어 만지니
빨대가 물 빨아들이듯
흠뻑 마시고
수줍은 아이처럼
빙그레 웃네

옥구슬 열매 맺히고
거미줄에 눈 꽃송이 선물하니
눈망울 꽃이 되었네

구름이 도망가네
빨리 오라고 하네
다른 곳으로 가자고

민들레

왜 나는
길가에 피었을까?

아무도 돌보지 않는 잡초와 함께 살고
보살핌도 받지 않으며 인적도 드문
외로운 곳이 나의 집이네

가끔 지나가는 사람들은
나를 신기하게 보며 웃네

만져도 보고 간지럼을 태우면
사랑이 좋아 덩실덩실 날아가네

비록 잡초가 될 수 있어도
빈약한 곳을 환하게 꽃피우는 능력이 있네

비바람에도 쓰러지지 않는
강인함과 인내로 피어난 너의 몸짓에
가던 길 멈추고 요모조모 살펴보니
한층 더 사랑스럽구나!

나의 마음 빈 곳에
너의 짝사랑을 심어
너의 사랑을 닮고 싶구나!

장미

신록이 펼쳐진 길목에
빨간 아가씨 눈망울과 마주치니
마음 설레어 짝사랑하고

살랑살랑 바람에 흐느적흐느적
모른 척하는 숙맥 같은 소녀
너무 귀여워 가슴에 품으니

사랑의 사탕이 되어
달콤한 오아시스가 되네

두근두근한 마음 쓸어 담고 싶어
화병에 담으니
불그레한 새색시 볼 같아
마음 한구석에 꽂고 싶네

한 잎 한 잎 펼쳐진 꽃 자락에
아름다운 향기를 남기니
사랑의 선물로 향수가 되어

곤하고 힘든 마음 품어 안고
아픔까지도 사랑할 수 있는
마음의 쉼터로 연결하는
아름다운 통로가 되네

소낙비

갑자기 후닥닥
방문객이 찾아왔네

구름님이 분신을 뿌리네

지구의 모든 것들이 놀라고
숨기 바쁘네

잠깐 숨죽였는데
어느새 도망갔네

어디로 갔는지
궁금해하지 않네

붙잡지도 않고
가는 거 아쉽지도 않은데…

왠지 마음만은 붙잡고 싶네

너의 자리가
바람 친구와 동행하니
묘한 고향의 흙 냄새

잠깐 있었지만
만져주는 너의 흔적에
오늘도 살만한 이유가 있음을…

마음이 참 시원하구나!

장마

굵은 빗방울 소리는 잠을 깨우고
천둥은 자지 않고 아우성치네
바람도 쉬지 않고 같이 놀고 싶어
쏴쏴 싱싱 쏴쏴 씽씽

물방울 맺힌 꽃망울이
수정처럼 대롱대롱 달려
은구슬 옥구슬이 되었네

풀잎들은 초롱초롱 맑은 눈처럼
더 빛나고 키다리 아저씨로 변하니
경이로운 벌레들의 집이 되어주네

보슬보슬 내린 비에 샤워를 하다
잠깐 쉼을 타 바람에 옷을 말리고

꽃들도 감았던 눈 뜨니
그 사이에 나비가 날아와 입 맞추고
해맑은 미소로 흔들거리네

어느새 먹구름이 하늘을 장식하니
모두들 숨죽이고 사라졌네

흔들리지 않은
우뚝 선 나무들만 보이네

약속하듯 자연에 순응함이
너무나 익숙하네

비 온 뒤

맑고 푸른 하늘에 구름이
유유하게 둥실둥실 떠가고
햇살에 팔랑팔랑 젖은 옷 다 말리니
가볍게 움직이는 나뭇잎에
아침을 맞이하는 마음도 가벼워

어제의 모든 것 다 씻어버리고
맑은 마음을 선물 받으니
전깃줄에 앉아있는
새 한 마리에게도 눈길을 주네

아름다움을 볼 수 있는
하루 선물 받았으니
겸손함으로
더 사랑할 수 있는 것들을
놓치고 싶지 않네

개망초 1

잔잔한 꽃무리가 한들한들
수줍은 아이의 모습에
미소 한가득 품고
고운 살결 만지니
너무나 소박한 모습에
매일 보는 얼굴 같아
옆에 앉아 잠시 쉼을 얻네

잡초 속에서도 잡초로 보이지 않는 너
고운 모습에 평안을 얻고
내일 다시 보리라 약속했네

다음날 설레는 마음으로 갔지만
단장된 잔디만 있고
너의 모습은 흔적도 없네
귀한 보배가 잡초가 돼 버렸네

개망초 2

횡단보도에서 신호를 기다리다가
두리번두리번 고개를 갸우뚱하니
구석진 모퉁이에서 산들산들
바람에 웃는 친구들과 눈 마주쳤네

너무 귀여워
잔잔한 미소와
기쁨으로 어루만져 주니
하얀 눈송이가 앉은
꽃망울들이 손짓하네

잠시 쉬어가세요
잠시 쉬어가세요
그래도 하루는 갑니다

벌도 날아와 놀다 가네

족두리 꽃

자욱한 안개 속
촉촉한 보슬비에
물방울 꽃이 대롱대롱
가느다란 바람에도
자석같이 붙어 있어
물똥집이 빛나네

만지면 와르르
떨어지는 굴림에 놀라
꽃술은 눈을 감고
향기도 잠을 자고
적막이 흐르네

어느 날 분꽃 속에서
꽃 봉우리가 활짝 웃으며
주인이 되었네

매일 매일 새로 피어나는

꾸준한 인내가 더 풍성하게 지켜주며

지나가는 사람들에게 얘기를 선사하네

지지 않고 오래 있어줘서 고맙다고

분꽃

햇빛은 분꽃의 수면제
납작 눈은 날이 새는 줄도 모르고 꼼짝 않네

나비는 놀고 싶으나
너무 조용하여
옷깃만 적시네

그림자가 눈을 만져주니
부스스 깜박이며 눈꽃이 피네

바람에 살랑살랑 몸단장하고
연약한 몸매는 호리호리함을 뽐내며
떨이지지 않는 단단한 모성애를 안고 있네

약해 보이나 약 하지 않은 강인함이 있기에
음지에서도 필 수가 있나 보다

놀란 구름

갑자기 쏟아 부은 비에
꼼짝 못 했는데
먹구름이 머무는 틈 사이로
태양이 비치니
정신없이 구름이 움직이네

천천히 가고 싶은데
어쩔 수 없이
밀려나 그사이로
맑은 하늘을 보여주네

또 올 것 같으나
태양님이 무서워
잠시 숨을 곳을 찾지만
하얀 옷을 입을 수밖에 없네

투명 옷을 입기로 했네
해님이 너무 비춰서

민들레 친구들

바람을 타고 여행하는데
작은 나무들이 말한다

우리는 꽃을 피울 수가 없어요
잠시 만이라도 우리랑 같이 지내요

당신의 향기가 너무 좋아
온몸에 바르고 싶어요

바람이 불면
꺾이지 않게
감싸 줄게요

살포시 내려가 앉았는데
친구들의 사랑으로
키다리가 됐네

바람에 몸부림으로
향기는 더 멀리 실어 보내고
꽃이 아름다운 것이 아니라
사랑이 아름다움을 배웠네

쌀쌀한 바람이
시간을 말해주네
곧 떠날 시간이라고

마지막까지
더 몸부림쳐
나의 분신을 남겨야겠다

낙엽

청청한 잎은
비바람에도 떨어지지 않고
우아한 잎을 자랑하며
그늘도 되어 주더니
쌀쌀한 날씨에 어쩔 수 없나 보다

너의 옷은 한 가지 색인 줄 알았건만
비밀이 숨어 있는 걸 이제야 알았네
속살은 단풍 색이었네
숨기고 싶었는데
이제는 숨길 이유가 없네

한 나무를 감싸주기 위해
바람막이가 되어주고
친구도 되어주니
즐겁고 멋진 소풍이었네

이제는 다른 친구를 위해
바람 따라 떠나가네
추운 친구들을 덮어주기 위해서

다양한 옷을 입고 있으니
꽃인 줄 알고
나비가 찾아왔다가
그냥 떠나가네
가을인 줄 알고

이른 아침 태양

구름에 포위되어
태양이 멈춰있네

오랫동안 같이 있고 싶으나
시간이 허락하질 않네

구름 친구들이
사랑 받침을 만들어 주니
태양 꽃이 이쁘게 떠오르네

잠에서 깨어난 해맑은 모습으로
빛이 앞으로 튀어나오는 모습에
모든 우주를 밝음으로 선물 주려고
몸부림친다고 하네

점점 더 높은 곳을 향하여
온몸을 태우는 분신은
눈으로 볼 수가 없네

아침을 깨우는 빛의 물결은
더 넓은 곳을 향해 분주하고
나무들의 고운 색은 더 다채로워지고
새들은 추운 몸을 온기에 녹이면서 눈을 뜨네

안개 옷을 홀딱 벗어주니
깜짝 놀라 온데간데없고
쌀쌀한 이슬 공기를
따뜻한 온기가 감싸주니
평지가 평안하며
나무 사이에 비치는 길은
숨결을 이어주네

드넓은 하늘을 마음껏 달릴수록

멋진 풍경들이 눈에 들어오네

밝은 마음에 물들이는 사랑 보네

아침 공기

창문 여는 순간
기다렸나 보다
폴짝 뛰어올라
나의 살갗으로
파고든다

아침이슬에 젖었는지
좀 춥다
온기가 느껴졌는지
견딜만하네

내 폐 속으로 들어가
청소를 해 주네
잠든 모든 장기를 깨워주고
신선한 것을 넣어주니
활동의 에너지를 부어주네

내가 가져갈 수 있을 만큼만
들어오는 신선함이
잘 소통해 줘
건강할 수 있음을 고백하네

기분 좋은 아침을 선사해 주고
생명을 부어줘서 감사하네

이른 아침

안개가 땅까지 기어 왔네
엉금성금
더 깊숙이 파고드네
이슬을 머금게 하고
쌀쌀함을 뿌리네

서서히 태양은
얼굴을 내밀수록
안개 옷은 벗어지고
촉촉이 젖은
단풍은 더 물들어 있네

새들은 아랑곳하지 않고
나들이에 바쁘고
이곳저곳에서 분주하네

밤인 줄 알았다가

서서히 깨어나는 몸짓들이

쉬지 않고 움직이는 우주네

11 월 나뭇잎

이슬에 맺힌 아름다운 옷은
더 선명하고 밝고

안개에 가려져
보일락 말락 하는
너의 옷은
부끄러워하네

빛에 의해 깨어난
너의 옷은
많이 변해있네

아름답던 너의 자태는
땅의 떨어지고
부스럭부스럭 발자국 소리에
떠날 준비를 하고 있네

시간의 흐름은 멈추지 않고

11월임을 알려주는 알람

너로 인해 감격하고

흥분했던 감성을 선물받았네

마음에 아름다운

띠의 추억을 물들이니

설렘을 배웠네

제 2 부

교감(交感)

해운대의 아침

마음의 빈 곳과
영혼의 빈 곳을 채워 주는
달콤한 음식이 들어갔을 때
정말 행복했다

달콤한 주스를 먹을 때
정말 달콤했다
신맛을 먹을 때
신맛이었다

그러나 이 모든 것이 뭉쳐서
생명의 에너지가 되었다

너무 너무 행복하고
감사하고 사랑스러웠다

우리 삶이 이렇게 매일
사랑스럽고 즐겁고
힐링이 되는 이곳이
정말 좋았다

우리 식구한테 감사하고 고맙고
정말 좋았다는 말을
꼭 하고 싶다

매일매일은 아니지만
이 마음도 잊지 않고
살아갔으면 좋겠다

정말 정말 좋은
하루 아침이었다
너무 좋았다

이렇게 좋은 날

따사로운 햇볕이
사랑을 만든다

사랑스런 대구탕이
가슴을 더 따뜻하게 한다

가족이 함께 있으니
햇볕보다
대구탕보다
더 사랑스럽고 따뜻하다

보석보다 더 값진
우리 가족

코로나와 3일

나의 몸을 찾아온 새로운 방문객
처음으로 경험하는 내 몸의 반응
인후통은 너무나 큰 고통
마치 물이 없어 풀잎이 마르듯 타는 듯한 갈증
쓰디쓴 쑥을 먹는 듯한 쓴맛
나의 일상생활은 무너지고
아무것도 할 수 없는 무기력감이 지속되는구나
그러나 또한 감사할 게 참 많다
호흡할 수 있는 생명 주신 것
건강을 되돌아볼 휴식 주신 것
그동안 생활해 왔던 모든 것이
감사하고 고마울 뿐이다

사랑의 꽃

꽃을 보면 얼굴은 방긋방긋
코끝은 향기에 끌려 촉각을 세우네
바람 타고 날아간 꽃이
뽐내며 자기 옷을 자랑하네
그러나 이쁜 것도 잠시
비 오고 바람 불면 우수수 떨어져
향기도 관심도 모두 사라지지만
바람이 불고 비가 와도 떨어지지 않는 꽃
나이가 들수록 더 익어가는 꽃
마음이 따뜻하면 더 활짝 피어나는 꽃
나의 시선이 남에게 향할 때 더 뜨겁게 피는 꽃
향기는 더 진한 향기로 변해
사랑이 필요한 곳으로 날아가네
많은 사람이 좋아하는 꽃
그게 바로 사랑의 꽃이라네

봄의 시작

겨울 끝자락에 봄이 차고 들어온다
이제는 내가 뽐낼 거라고
나의 자리 달라고 살며시 스며든다

따스한 양지에서
뽀시시 뽀시시 얼굴을 내민다
나 좀 봐달라고 세상을 향한다

긴 추위 속에서 너를 지키기 위해
많은 인내와 고난이 있었겠지만
아무런 일이 없다는 듯이
봄을 알리는 네가 위대하고 장엄하다

올봄이 많이 흥분되고 기대된다
눈이 시리도록 아름다운 것을
많이 볼 것 같아서

힘들었던 모든 순간이
행복으로 변하고
누군가에게 힘이 되어주는
봄을 선물하고 싶다

따뜻한 양지

추워서 모든 만물이 움츠려
고개도 들지 않고 땅 밑만 바라보다가
따스한 햇볕이 내리쬐니
고개도 들어보고 기지개도 펴본다

추위가 갔는지 안 갔는지
두리번두리번 살펴본다
서로 눈짓하면서 햇살이 좋다고
그동안 추운데 잘 지냈다고 서로 격려한다

네가 옆에 있어서 이겨 낼 수 있었다고
오는 봄 우리 서로 꽃피워 우리 세상 만들자고

새들도 서로에게 전하네!
따뜻한 햇살이 봄을 알린다고
어서들 나와서 보라고

마음껏 공중을 날아 보자고
아우성치는 노랫소리가 들리네

온 만물도 봄소식에 바쁘다
얼른 준비해서 세상 밖으로
얼굴을 내밀고 싶어서 쉴 새 없네

우리들의 마음도 봄으로 이사하네
옷도 마음도 꽃이 피네

자연의 삶

사르륵사르륵
바람이 분다
나뭇가지가 부딪치며
아우성친다
그래야만 살 수 있다고

나무 잎도 덩달아 싹싹
고음을 낸다
그래야만 뿌리가 뽑히지 않는다고
흐름에 따라 살아야지
역행하면 살 수 없다고

나는 보았네
순행하지 않으면
뿌리가 뽑히고 몸통도 꺾인다는 것을

한 마디 한 마디 성장하여
높이 올라가니 다른 세상이 보이네

강한 비바람에도 막을 수 있는 힘이 있고
나그네 쉬어 갈 수 있는 쉼터가 되고
든든한 보금자리가 되어 둥지 틀 자리를 내어주고
작은 수목들의 든든한 버팀목이 되어주네

줄 수만 있다면 다 주고 싶네
나의 모든 것을

꽃 친구

시간이 지나니 화병의 꽃이 시들어
고개를 숙이며 떠날 준비를 하고 있는데

어느 날 싱싱하고 예쁜
화사한 꽃바구니가
옆에 살며시 앉았네

보기만 해도 눈길이 더 많이 가네

나도 처음에는 너처럼
사랑의 눈길을 더 많이 받았고
감탄사에 많이 놀랐다네

온몸을 다해서
아름다움을 지키고 싶었으나
나의 한계를 알았다네

아픈 몸을 가지고 최선을 다해서
기쁨과 향기를 마음속에 입혀주고
이제 갈 준비를 하고 있는데
네가 (살며시) 왔구나!

내가 봐도 참 앙증맞게 이쁘구나!
마음껏 사랑받으면서
한 사람 한 사람에게
희망의 꽃이 되길 바라며
갈 때는 아쉬워하지 말고
너의 하는 일에
큰 의미를 두었으면 하는구나!

온돌 찜질기

하루도 빠지지 않고 매일매일 한 몸이 되어
나의 신체 일부가 되었다

배 아플 때 편하게 해주어 나을 수 있었고
추울 때 온기가 따뜻해 푹 잘 수 있어서
항상 옆에 있어 당연하게 생각했는데
온돌이 갑자기 작동이 안되니
그 놀람과 불편은 말할 수 없구나

아쉬움이 너무 커
너의 존재를 새삼 더 알게 되는구나
그 역할이 컸다는 것을

감사와 고마움이 적었구나
아파서 병원 갈 때도 있구나

잘 지켜주지 못한 미안함에
너의 소중함을 생각하고 있을 때
남편의 손길로 치료가 되니
얼마나 다행인지

계속 같이 생활할 수가 있어
참 좋구나!
사랑스럽게 잘 다루어서
잘 지내고 싶구나
덕분에 잠 잘 수 있겠구나

마음의 빛

어둠을 뚫고 힘껏 빛을 발휘하며 용솟음치네
자욱한 안개가 서서히 옷을 벗으니
형체들이 자기의 몸매를 하나둘씩 드러내네

뿌연 안개가 지배하니 답답하고 어두워
놀러 다닐 수도 없고 볼 수도 없었는데
밝음의 약을 먹으니 금방 회복되네

내가 살아갈 수 있는 힘과 에너지를 줘서 감사하고
따뜻함으로 인해 사랑을 배울 수 있으니
사소하지만 서로에게 안녕이라 인사하고
웃어주는 관심이 행복하네

그러므로 생명의 빛이 더 별 보다 빛나
멋진 우리의 마음을 지배하길 바라며
아름다운 그릇이 준비된 자에게 날아가네

봄의 준비

어둠을 비추는 태양
꿈틀거리네
작렬한 광채를 비추며
힘 있게 과감하게 분출하니
구름이 모두 도망가 버렸네

어제는 구름님 때문에
내 마음을 표현할 수가 없었다고
나무들은 잠자다가 자동적으로 일어나네
새들의 방문하는 소리에

넓은 하늘에 우뚝 오르니
온 만물들이 미소 지으며 쳐다보네
너무 따사롭고 영양주사 맞는다고
서로들 소담 소담하네

온기가 필요한 곳에 닿으니
살아있는 생물들이 입을 벌리고
마음껏 즐거워하네
빛의 마음을 알기 때문에

봄인 줄 알고 세상에 나오려다가 멈칫
관망하며 기다리네
너무 추워서

꽃이 말하네
밖의 세상을 보기 위해 준비되었는데
깜짝 놀랐네
찬바람에 눈 감아 버렸네

오늘보다 내일이 더 좋을 거야!
단단히 준비해서 진한 향기를 뿜어야겠구나!

잠자던 나무들이 자석 끌림같이
비추는 곳마다 잠에서 깨어나네

산책

난리가 났네요
살랑살랑 미풍에 상큼한 아침을 주고
온 땅이 진동하면서 속삭이고 있네요
추운 겨울 잘 지내고 나갈 준비됐으니
어서들 세상 밖으로 가보라고 흔들어 주네

나뭇가지에 맺힌 꽃망울은 눈뜰 준비를 하고
새싹들은 땅이 밀어주니 너무 좋아 쑥쑥 솟아오르니
만물이 아름답구나!

보는 이의 마음이 편안하고 아름다워
가슴을 터치하여 설레게 하네
하나하나 생명이 신비롭고 경이로워
눈을 뗄 수가 없어
누군가에게 감동의 마음을 전하고 싶구나!

겨울이 지나면 봄이 오듯이
나의 평범한 일상도
향기 나는 삶으로
희망의 꽃이 되길 소망하네

컷트

쓱싹쓱싹 가위 손 따라
머리카락은 뚝딱뚝딱
숲을 이루네

가슴도 뚝딱뚝딱
떨리지만
이별하네

눈도 감지만
더 이뻐지리라 믿고
보내네

거울보고 방긋
이쁜 얼굴 선물 받으니
기쁨으로 변하네

사랑

소리 없이 피어나는 연분홍 빛에
숨 쉴 수 없었고
연둣빛 나뭇잎 사이로 비추는 햇살에
눈을 뗄 수가 없었네

사시사철 바뀌는 변화에
마음도 오만 가지이지만
오래도록 가슴에 피어나는 꽃은
사랑하는 사람이네

시간이 지날수록
그리움의 향기는
마르지 않는 샘물 같고
아름다운 추억의 꽃은
영원히 바래지 않네

하얀 꽃이 피어도
가슴의 꽃은 지지 않는
영원한 사랑의 꽃
바로 사람 꽃이라네

아카시아

당신은 숙녀일까요?

부끄럼이 많네요
똑바로 볼 수가 없어 곁눈질만 하는군요

바람결에 흐느적흐느적할 때마다
짙은 화장수가
당신을 생각나게 하네요

5월을 알리는 당신의 향수에 취해
마법에 걸려보고 싶네요

밝은 미소가 더 하얗게 보이네요

신랑님 마음 훔쳐 가고 싶어
멀리멀리까지 방귀 뀌나요?

벌님도 냄새 취해 머물렀더니
너무 사랑해 꿀을 낳았네

내 사랑은 짧지만
짙은 사랑을 하고 싶어
꽃잎 하나하나가 애절하답니다

잠깐이라도 쉼을 얻고
나와 달콤하게 나누며
나의 향기 담아 가세요

사랑의 꿀단지 선물할게요

나무의 몸단장

이리저리 뻗은 나뭇가지
마음껏 뽐내보지만
개성도 잠시
사람들 눈에 이쁘라고
이발하네

어쩔 수 없이 근육통 참으니
향긋한 풀잎 냄새
싱그러움이 묻어나네

단장된 모습에
모두가 쌍둥이로 변했네

비바람 몸짓에
다시 무성하리라
더 무성하리라

아우성치는 바람 소리에
몰려드는 거미줄에게
에너지를 뿜어내리

인과관계

나무가 무성한곳에는 새들이 모이고
땅의 양분이 좋은 곳에서는 벌레가 모이고
꽃향기가 진한 꽃은 나비와 꿀이 모이듯이
아름다운 향가와 사랑이 많은 곳에서는 사람이 모이네

풍성한 인생을 보내기 위해서
무엇이 중요한지 생각하게 되네

여름나무와 비

하늘문이 열렸네
굵은 실비가 쭉쭉
국수같이 뽑아내네

땅을 부드럽게 만들어 주고
모든 찌꺼기를 씻겨주니
코끝의 닿은 상큼한 풀 냄새
새로운 탄생을 맞이하네

운무가 거대한 산등성을 안고
같이 견뎌주니
새들도 조용하고
어두움이 엉금엉금 기어오니
조용한 적막 속에
우둑 우두둑 무섭지 않은
친구들과 함께

무성한 나무 옷자락은
잘 견뎌 주리라 믿네

비가 잠깐 그친 틈을 타
전봇대에 새들이 놀다가
보금자리로 돌아가니

쉼을 얻고 멋진 내일을
신비하게 맞이하길 바라네

어제와 오늘

어제는 만물이 촉촉이 젖어
바람도 무겁고
족두리 꽃도 고개 숙이며 인사하네
분꽃은 눈 뜨고 싶어도
구름님이 놓아주질 않아 납작 눈이 되었네

오늘은 해님이 주인이 되니
하늘은 바다같이 푸르고 맑아
가벼운 바람결 따라
만물이 건조가 되네

마음도 가볍고 햇살에 고마움이 두 배가 되니
모든 일상은 조화 속에 나를 담가보고 싶네

마음이 똑같지 않음을 인정하고
흘러가는 대로 순종하면서

구름결 따라 물방울의 떨어짐의
반짝이는 눈을 갖고
햇살 결에 따라 떨리는 숨결을
만질 수 있는 꽃잎의 냄새에
가슴을 적셔 주는 자연의 숨결에
순응하자

하늘 세상

하늘에 잔치가 열렸네
숨었던 많은 구름 친구들
비님 피해 몽실몽실 쏟아 올랐네

하얀 솜 세제를 뿌렸는지
서로가 비비면 더 큰 솜 방울이 되어
두둥실 두둥실 춤을 추고
덜 비비면 때가 끼여
먹구름 옷을 입네

햇살의 친구가
초롱초롱 비춰주니
더 가벼워지고 날개를 달며
여행을 즐기고 있네

저 속에서는 누가 살까?

지금도 토끼가 살고 있을까?
천사가 살고 있을까?

구름 꽃 속에
하얀 세상을 넣고 싶네

부정적 마음

내 몸에 벌레가 들어왔다
가만히 있고 싶은데
나를 간지럽히며
자꾸 나를 괴롭힌다

나는 가만히 있고 싶다
그럴수록 더 강한 벌레가 간지럽힌다
상한 상처를 남기고 싶다고

어떻게 하면 죽일 수 있을까?

이해 약을 뿌리니 서운함이 생기고
관용 약을 뿌리니 배려가 안 되고
왜? 라는 약을 뿌리니 더 의문점만 남는다

해방될 수 있는 해충 약은
마지막 나의 숨결을 보드랍게 해주는
사랑 약을 뿌리니 벌레는 녹아 버리고
평안의 기쁨을 선사하네

그냥

파란 하늘은 맑아서 좋고
꽃은 이뻐서 좋아하고
나무는 나무여서 좋고
사람은 사랑스러워서 좋았으면 좋겠다

인생의 오페라

깊은 곳에 들어가면 어두움이 짓눌러
더 적막하고 앞이 보이질 않으나
빛을 볼 수 있는 희망을 갖고 노래하니
마른 땅에 기쁨이 생기고
사막과 같은 곳에서도 꽃이 피네

지나가는 바람에게도 말 걸어주고
지는 꽃의 아픔도 어루만져 주고
떨어지는 나무 잎에도 속삭여주네

밝은 태양이 비추니
위대한 희망의 띠가
기쁨과 즐거움을 얻게 하니

황량한 곳에서도 꽃이 피고
샘물이 쏟아 올라

큰 기쁨의 대로를 만들어 주며
최고의 선물을 받는 선택된 삶이네

가을맞이

아침에 냉기 있는 바람이
피부를 간지럽히네

솔솔 솔 솜털을 움직여 주니
분꽃, 족두리 꽃 봉숭아
뜨거운 태양 아래 허리가 굽어
마지막 인사를 하고 갈 준비를 하네

무성했던 모든 것을 털고
비워야만 한다는 것을 알고 있네

지기의 본분 씨앗을 남기고
찬란했던 것을 아낌없이 내 주네

매일 미소로 맞이해주는 방긋이
빗물에 젖어 깜박이며 눈방울 찍어주고

태양에 지쳐 있어도 꺾이지 않고
견고함을 유지하는 멋쟁이

지치지 않고 매일 이쁜 옷을 입고
새로운 모습으로 단장하는 부지런한 분장이

설레는 마음에
더 이쁜 것을 볼 수 있고
아름다운 향기를 주어
심중에 향기를 담을 수 있었네

여름 친구들이 벌써 그리워지며
잘 버텨줘서 고맙네

가을이 오는 소리

매미는 궁금할 틈도 주지 않고 어디로 갔네
무성한 나뭇잎이 우두둑 우두둑 길 위를 덮네
아쉬움이 컸나 보다

고요한 새벽에 귀뚤귀뚤
알람 소리에
바람도 깨어나 살며시 가슴속으로 파고드니
사랑의 열매가 노크하네

아픈 것이 있으나 참을 수 있고
비바람이 방문해도 견딜 수 있었고
뜨거운 태양에게도 나의 속살을 비췄네
아름다운 나의 씨앗과 분신을 꽃피우기까지

해산하는 고통이 많았지만
풀잎 속에서 솟아 날 수 있었고

물가의 버드나무처럼 마르지 않고
무럭무럭 자랄 수 있었다네

나는 보았네
하나하나 여정이 가을이 와야만 맺을 수 있음을

감격스러운 신비의 모험을 응원하네

마음의 변화

예전에는 몰랐는데
꽃이 피면 그냥 이쁘다고만 생각했는데
꽃의 미소와 향기에 감격하여
가슴에 묻고

예전에는 몰랐는데
나무를 보면 그냥 나무였는데
바람에 춤을 추고 햇빛에 빛나는
은빛에 경탄하네

예전에는 몰랐는데
이기적인 사랑만 했는데
사랑은 나의 숨결을 흘러 보낼 때
기쁨의 두 배를 알았네

예전에는 몰랐는데
마음의 밭을 키울 줄 몰랐는데
나의 정원을 기쁨과 감사로 가득 채우니
천국을 이루어 가네

예전에는 몰랐는데
세상이 주는 선물과 기적을 몰랐는데
아름다움을 볼 줄 아는 시야로 인해
세상의 선물이 되고 싶네

외로운 나무

옷을 입은 나무 사이에
우뚝 선 벌거숭이 나뭇가지
외로웠는지 바람에게 유난히
속삭이며 온몸을 맡기네

빨리 가을이 왔나 보다고
흐느적흐느적 고개를
숙이며 속삭이네

지나가던 새 한 마리가
꼭대기에 폴짝 앉으니
꺾이지 않고 인내하며
출렁출렁거리네

서로의 마음이 한 몸 되니
바람에 같이 움직이고

마음이 가벼워지니
유유자적하네

잠깐의 만남을 아쉬워하며
가을의 향기를 실어주고 가네

잘 버텨줘서 감사하다고

가을비의 친구

비바람이 휘몰아치니
나무도 잠잠할 수 없네

견디다 못한 나뭇잎은
길 위를 갈빛으로 장식하고
스산한 바람은 살빛을 파고드네

힘든 여름을 잘 견디고
더 성숙했는지
촉촉한 비에
옷을 갈아입을 준비를 하고 있네

마지막 최고의 이날을 위해
참고 잘 견뎌 줘서
멋진 옷을 입기 위해
몸부림치네

알고 있네

나는 변해야만 다음 생애를

맞이할 수 있음을

인정할 수밖에 없네

동해의 일출

어둠이
잔잔한 파도를 품고
자고 있는데

빛이
간지럽게 하여
눈을 뜰 수밖에 없어
보는 순간

금빛 구름과
주홍 친구들이
잔치하고 있네

붉은 물감을 뿌려주니
금빛 나라가 되고

귀한 손님을 맞이하는
준비에 모두들 흥분되어
감 홍시 보다 더 붉어지네

출렁이는 파도도
숨을 죽이며
서서히 몸짓으로
빛줄기를 맞이하네

노오란 얼굴을 내미니
한 폭의 위대한 꽃이 되고
장엄한 빛의 세상을 선물하네

멋진 최고의 선물을 받으니
마음의 걸작품을 그리네

여름 꽃 친구들

오고 가는 길에 반겨주는
분꽃과 여러 친구들이
씨만 남기고 흔적이 없어졌네
마음이 텅 빈 것을 보니
정든 친구였네

아침 햇살에
잠을 자는 네가 궁금했고
비가 오면
젖어 있는 너의 몸매가
흐느적 꺾일까 봐
오매불망했건만

이제는 텅 빈 땅만 보이네
또 너를 보기 위해서
일 년을 기다려야겠네

나비도
향기도 없으니
흔적도 없네

마음은 이해하지만
텅 빈 마음은 어찔 수 없네

정든 마음이
그리움으로 변하니
너를 사랑했었구나

만남

누군가를 그리워하고
설렘으로 기다림이
꽃망울을 맺기 시작하네

첫 만남에
꽃 모양을 보고
색깔도 보고
향기도 보면서
눈도 마주치네

서로의 공감을 느끼면서
꽃잎이 한 잎 한 잎 펼쳐질 때마다
사랑의 향기가 나오네

꽃잎이 웃기도 하고
이슬 맺힌 눈물에 젖으니

빙그르르
웃음의 천사가 다가와
행복의 선물을 주고 가네

꽃들은 양분을 받으니
더 아름답고 만개를 이루어
풍성한 만남을 입었네

비 온 뒤 주는 축복

흑암 속에 덮인 해가 떠오르니
모든 운무가 떼 지어 따라가네
자석의 끌림같이 저항할 기세도 없네

너무 힘이 세 가릴 수도 없네
태양은 가만히 있으나
구름이 바닷물 같이
흘러가네

빛을 통과하니 거대한 구름도
흰옷을 벗고
사라지네

강력한 광채의 줄기는
어느 단풍보다
돋보이네

지상의 만물은
바람에 춤을 추고
어둠은 순식간에 사라지니
아름다운 자태들의 형상들은
더 깨끗하고
금보다 은보다 빛나네

놀라운 빛으로 인해
움틀 거리는 생명들은
기쁨의 땅에서 말하네

버틸 수 있는 힘이
무지개의 생활을 할 수 있다고
토닥거리네

가을 저녁

나뭇잎이 그늘진 것 같이
땅에 집을 지었네

비바람에 몸부림을 했지만
이별했네

저녁노을은 뉘엿뉘엿
광선을 뽑아내며
자태를 감춰가고
공기는 차가움을 내뿜으며
밤을 준비하고 있네

떨어진 나뭇잎은 온기를 더해 주니
친구들은 잠잘 준비하고
새들은 벌써 자는지
전봇대 위의 전선만 외롭네

어둠은 짙어 갈수록 불빛은 더 빛나고
형체들이 사라지네

고요함 속에 움직이는 소리에
귀 기울이며
순응하네 그것을 배웠네

아침

아침의 첫 시작은 알람의 소리로
첫 문을 열어주네

번쩍 일어날 수 있는 걸음으로
살아가는 원동력을 자극하네

고요한 정적소리가 사르르 사르르 물러가며
물소리가 소음을 자극하네

하루를 시작할 수 있도록
나의 마음과 몸을 정결하도록 도와주고
생각의 문도 감사로 첫 종을 울리네

무딘 마음 귀하고 소중한 하루로 전환되니
아침 시작이 경쾌하고 새롭네

상쾌한 공기는 내 폐 속으로 들어가
묵은 공기를 청소하고 새것으로 채우니
최고의 명약이네

태양은 힘차게 서서히 떠오르며 어둠을 지배하네
모든 만물도 더 이상 견딜 수 없어 깨어나네
새들도 자동차도 분주하네

어제보다 더 나은 하루가 되기 위해
명품의 아침을 맞이하고 싶네

어느 초겨울 아침

좀 쌀쌀할까 봐
안개가 덮어주니
옷이 얇았나 봐
살짝 얼었네

밤새 잠 못 잤는데
찬란한 태양이 깨워주니
사랑스러운 온기에 비비고
깨어보니 이내 옷은 없어지고
고인 물방울만 남아있네

촉촉한 양분에
아침을 배부르게 먹이니
좋은 일을 예비해 놓았네

저녁노을의 친구

듬직한 산등성이에
찬란한 금꽃이 피었네
수정보다 맑게 빛나
금방이라도 땅에 떨어질 듯
마음의 조바심이 가득하네

깊은 속을 감출 수 없어
분신을 토해내니
온 주위에 금빛이 물들었네

아름다움에 압도되어
숨죽이고 있는 순간
반달은 벌써 안녕을 고하네

반달이 더 자태를 나타낼수록
어느새 여운만 남기고 사라졌네

모양은 반쪽이지만
빛도 있고 그림자도 있고
드넓은 밤하늘의 주인공

분명히 알고 있네
반이지만 하루하루가 지나야
보름달이 된다는 것을

외롭지만 참고 견딜 수 있네
진리를 역행할 수 없기에

문학고을 문예지 등단 신인 문학상 공모 당선작 심사평

장선숙 시인의 「눈 나비」, 「남편의 회갑」

눈이 오는 모습을 시인 각자가 다양하고 개성적인 표현으로
나타내어 풍성한 의미를 드러낸다. 「눈 나비」에서 눈은
나비가 되어 하늘에서 바람을 타고 내려온다. 춤을 추며
내려와 나뭇잎에 내려앉는다. 그것은 나비처럼 가볍게
하늘을 날아서 내려와 나무에 옷을 입히는 눈 나비라고
시인은 말한다. 그렇게 눈 나비가 겨울꽃을 피우면
눈부시겠다고 강조한다.

「남편의 회갑」에서는 남편에 대한 애정을 유감없이
드러내는 화자가 등장한다. 그는 자신의 정원이며 그곳에서
꽃을 피운다고 하며, 힘들 때 버틸 수 있게 해주며 바람이
불 때 꺾이지 않게 하며, 희망과 꿈도 갖게 한다고 자랑을
한다. 당신이 있어 지금까지 잘 살아왔고 앞으로도 행복할
것이라고 당신을 사랑한다고 힘주어 말한다.

장선숙 시인은 세상을 긍정하고 아름답게 보는 눈을 갖고 있다. 이에 표현이 긍정적이고 맑다. 이러한 표현으로 시를 창작한 점을 높여 등단작에 선정한다. 등단을 축하하며 더욱 정진하여 한국의 문단을 빛내는 작가로 대성하기를 바란다.

심사위원 김신영 조현민 양경숙

당선 소감문

세상의 아름다움을 시로 나타내고
사랑이 아름다워 시로 나타내고
가슴의 흥분을 시로 나타냈더니
시인이 돼버렸네.

가족의 응원으로
시 꽃을 피울 수 있게 해줘
너무 감사하고 고맙고
사랑합니다.

시 꽃이 더 아름다움을 나타낼 수 있도록
작은 꽃샘을 잘 길러야겠다.

생활 속에서 감동적인 느낌을 시로 표현할 때마다 가족
카톡 방에 올렸다. 가족들은 너무 반응이 좋았고
대단하다고 많은 응원을 해주었다. 덕분에 나는 시를 더 쓸
수가 있었고 나의 감성을 표출할 수가 있었다.

어느 날 사랑하는 딸들이 공모전에 한번 도전해 보라고 용기를 주면서 문학고을 공모전 안내문을 카카오톡으로 보내줬다. 내가 될 수 있을까 며칠 망설이던 중에 남편과 딸들의 격려에 힘입어 그동안 썼던 작품 중 5 편을 골라 제출했다. 최근에 썼던 작품들이 당선작으로 선정되어 무엇보다 기뻤다.

내 마음을 잘 읽어주시고 격려해 주신 심사위원님들께 감사드립니다. 문학고을의 식구가 된 것을 자랑스럽게 생각하며 더욱 정진하겠습니다.

2023 년 2 월 5 일 장선숙

사랑하는 딸들의 응원 메시지

우리 가족의 자랑과 기쁨
사랑하는 엄마의
시인 등단을 축하드려요

움트는 새싹
탐스러운 꽃
맛있는 음식
풍성한 주님의 은혜

엄마가 보고 느끼는 모든 것에
따뜻한 시선으로 생명력을 불어넣고
세상에 깊은 울림을 주는
시를 남겨 주셔서 감사드려요!

장 시인님의 영감 가득한 매일을 위해
우리 가족이 함께 힘을 더할 게요
사랑해요
장 시인님 1호 팬 유씨들